L'auteure, Carole Fréchette *(2017)*

Figure importante de la dramaturgie québécoise, Carole Fréchette a été d'abord formée comme comédienne à l'École Nationale de Théâtre du Canada. Elle est l'auteure d'une vingtaine de pièces et de deux romans pour adolescents. Ses textes, traduits en dix-neuf langues et joués à travers le monde, ont été salués par de nombreuses récompenses au Canada et à l'étranger. Deux fois récipiendaire du Prix du Gouverneur Général du Canada, en 1995 pour *Les Quatre Morts de Marie* et en 2014 pour *Small Talk*, elle a également reçu, en France en 2002, le Prix de la Francophonie de la SACD pour souligner son rayonnement dans l'espace francophone ; la même année elle recevait le Prix Siminovitch, prestigieuse récompense accordée à un auteur de théâtre canadien pour l'ensemble de ses écrits.

Théâtre

- *Baby Blues*, Les Herbes Rouges, 1989.
- *Les quatre morts de Marie*, Les Herbes Rouges,1995 ; Actes Sud-Papiers, 1998.
- *La peau d'Élisa*, Leméac/Actes Sud-Papiers, 1998.
- *Les sept jours de Simon Labrosse*, Leméac/Actes Sud-Papiers, 1999.
- *Le collier d'Hélène*, Lansman, 2002 puis 2017.
- *Violette sur la terre*, Leméac/Actes Sud-Papiers, 2002.
- *Jean et Béatrice*, Leméac/Actes Sud-Papiers, 2002.
- *Route 1*, in *Fragments d'humanité*, Lansman, 2004.
- *La Pose*, in *La famille. Dix pièces courtes*, Paris, L'avant-scène théâtre, coll. "Les petites formes de la Comédie-Française", 2007.
- *La petite pièce en haut de l'escalier*, Leméac/Actes Sud-Papiers, 2008.
- *Serial Killer et autres pièces courtes*, Leméac/Actes Sud-Papiers, 2008.
- *Je pense à Yu*, suivi de *Entrefilet*, Leméac/Actes Sud-Papiers, 2012.
- *Vu du ciel* [pièce courte écrite pour le Théâtre du Peuple (Bussang, France)], inédite, 2012.
- *Small Talk*, Leméac/Actes Sud-Papiers, 2014.
- *Beau*, in *26 lettres : Abécédaire des mots en perte de sens*, Montréal, Atelier 10, coll. "Pièces".
- *Ismène*, in *Crimes et châtiments. Dix pièces courtes*, L'avant-scène théâtre, coll. "Quatre-Vents", 2015.

Romans et nouvelle

- *Portrait de Doris en jeune fille* [Nouvelle], in *Qui a peur de... ?*, VLB Éditeur, 1987.
- *Carmen en fugue mineure* [Roman jeunesse], La courte échelle, 1996.
- *DO pour Dolorès* [Roman jeunesse], La courte échelle, 1999.

Album

- *Si j'étais ministre de la culture*. Illustrations Thierry Dedieu. Éditions d'Eux, 2016, Éditions HongFei, 2017.

D/2017/5438/1144　　　　　　　ISBN : 978-2-8071-0143-2

Le collier d'Hélène

Carole Fréchette

- Lansman Editeur -

Les personnages :
- Hélène
- Nabil, chauffeur de taxi
- Le contremaître
- La femme
- L'homme
- Le rôdeur

Ce texte a été écrit dans le cadre du projet "Liban, écrits nomades" dont on trouvera le descriptif en page 37.

Il a été publié chez Lansman dans un ouvrage collectif en 2001 puis en 2002.

Il a été créé en français et en arabe en avril 2002 à Damas et Beyrouth dans une mise en scène de Nabil El Azan (Cie Barraca).

De nombreuses autres mises en scène ont suivi un peu partout dans le monde...

L'expérience de la perte

J'ai écrit *Le Collier d'Hélène* dans le cadre du projet "Écrits nomades" qui a réuni au Liban, en mai 2000, neuf auteurs dramatiques de la Francophonie. Le pays vivait alors un moment de répit. La guerre était officiellement terminée depuis une dizaine d'années et la reconstruction battait son plein. Certes, il y avait encore des tensions. Tsahal occupait toujours les provinces du Sud, 400.000 mille réfugiés palestiniens vivaient en marge de la société et l'armée syrienne était partout. Mais on pouvait croire malgré tout que le calme était sur le point de s'installer.

C'est dans ce Liban-là, qui pansait ses plaies et remontait les murs de ses maisons, que *Le Collier d'Hélène* a pris forme. Un Liban écartelé entre le désir d'oublier au plus vite et le besoin de se rappeler. De là m'est venu sans doute le thème de la perte ; de là aussi, peut-être, le ton de la pièce, mélancolique et tourné vers le passé.

Si j'étais allée à Beyrouth dans les années 1980, quand la ville était dans l'œil du cyclone, ou tout de suite après, quand elle constatait avec effroi l'ampleur des dégâts, ou si j'y étais allée en 2006, quand les bombes sont tombées de nouveau sur la banlieue sud, j'aurais sans doute écrit un tout autre texte, marqué par l'horreur du présent. Et si j'y allais maintenant, alors que la Syrie voisine agonise et que plus d'un million de ses habitants sont venus trouver refuge dans le petit territoire libanais déjà déchiré par mille tensions internes, qu'est-ce que j'écrirais ? Je chercherais pour sûr, comme je l'ai fait en 2000, ma juste place pour regarder, absorber, recréer. Et peut-être que je ne trouverais cette juste place que dans le retrait et le silence. Il est des circonstances où le réel est si terrible et si désespérant qu'aucune fiction, si sensible soit-elle, ne peut en rendre compte.

Le Collier d'Hélène a été créée en 2002, en cette période qui semble aujourd'hui bénie où il était possible de réunir à Damas et à Beyrouth des acteurs français, libanais, syriens et palestiniens pour raconter l'histoire d'une Occidentale qui cherche son collier dans une ville ravagée par la guerre. Je redoutais fort la réaction de ce public. Comment allait-il recevoir mon regard d'étrangère ? Allait-il me dire, comme le contremaître à Hélène : "Rentrez chez vous, dans votre pays qui a tous ses morceaux !" ? À mon soulagement, le spectacle y a reçu un accueil très chaleureux. Je pense aujourd'hui que si les spectateurs libanais et syriens ont été touchés, ce n'est pas à cause de ce que je dis d'eux dans ma pièce, mais à cause de ce que j'y livre de moi-même. C'est dans mon expérience intime de la perte qu'ils ont trouvé un écho à la leur, c'est dans ma modeste déroute personnelle qu'ils ont projeté leur peine incommensurable.

Depuis 2002, la pièce a connu de nombreuses mises en scène, en Europe, en Amérique du Nord, en Asie, en Afrique. Des publics différents se sont identifiés au voyage initiatique d'Hélène, même s'il se passait à mille lieux de leur réalité. Le Liban qu'Hélène a sillonné dans le taxi de Nabil n'existe plus tout à fait. Mais la douleur de la perte est toujours là, au Moyen-Orient et ailleurs, autour de nous et en nous.

Carole Fréchette
10 mai 2017

AU COIN D'UNE RUE, À UNE INTERSECTION ACHALANDÉE. DANS UNE VILLE CHAUDE ET CHAOTIQUE. BRUIT INTENSE DE CIRCULATION. KLAXONS À RÉPÉTITION.

Nabil : Taxi, Madame ?

Hélène : Excusez-moi, vous n'auriez pas vu... ?

Nabil : Taxi, Madame ?

Hélène : Un petit collier de perles. Il a dû glisser par ici.

Nabil : Ici, Madame ?

Hélène : Ce n'est pas un collier de perles comme les autres. Je veux dire, les perles ne sont pas enfilées les unes sur les autres

(UN TEMPS. NABIL NE DIT RIEN)

Il y a plusieurs rangs de fil mais les rangs ne sont pas posés à plat sur le cou, non, ils sont comme euh... en saillie. C'est difficile à expliquer. Les perles sont retenues par des noeuds minuscules. Et parce qu'on ne voit pas le fil, on dirait qu'elles sont en suspens. Vous comprenez ? On dirait qu'elles flottent autour du cou. Vous ne l'avez pas vu, mon petit collier ?

(NABIL NE DIT RIEN)

Tout à l'heure, je me suis arrêtée ici, juste ici, au coin. Vous étiez là. À la même place. Vous m'avez demandé si je voulais un taxi.

Nabil : Taxi, Madame ?

Hélène : J'ai attendu longtemps avant de traverser. Je me souviens que je me suis épongé le cou. Il fait tellement chaud, j'ai pris un mouchoir et je me suis épongée comme ça, et je me dis que ça doit être à ce moment-là que...

(UN TEMPS. NABIL NE DIT RIEN)

Mais peut-être que c'est arrivé avant. Je le porte tout le temps, même la nuit. Ce n'est pas un collier qu'on garde la nuit pourtant. Pas comme une chaîne en or ou en argent, non, mais moi je... Il est tellement léger, je ne le sens pas du tout. Il a pu glisser n'importe quand. Tout à l'heure, en passant devant une vitrine, je me suis regardée et j'ai vu qu'il n'était plus là. J'ai crié : mon collier ! Vous ne l'auriez pas ramassé ? Ou vous n'auriez pas vu quelqu'un le ramasser ? S'il vous plaît.

Nabil : S'il vous plaît taxi, Madame ?

(UN TEMPS)

Hélène : Non ! Euh... Oui. Oui, d'accord. Taxi.

Nabil : Où, Madame ?

Hélène : Par là. Tout droit.

Nabil : Yalla, yalla !

Hélène : Je monte dans son taxi. Une très très vieille Mercedes rouge, sauf les portes de derrière, l'une est jaune, l'autre vert kaki... On part dans un nuage gris. Je crie : attention ! Un camion énorme nous coupe effrontément. Je crie : il est fou ! Je crie : les fenêtres. S'il vous plaît, pouvez-vous fermer les fenêtres ? Il dit : s'il vous plaît, Madame ? en souriant. Je fais des gestes. Il finit par comprendre. Il ferme tout.

(LE BRUIT DE CIRCULATION S'ARRÊTE)

On roule. Je regarde la mer, derrière les immeubles, les affiches, les voitures, les fils électriques. La mer. Je surveille un peu la route. De temps en temps, je crie : attention ! Ça le fait rigoler. Je ferme les yeux. Je revois tous les endroits où je suis allée depuis que je suis arrivée. Il y en a beaucoup. Je ne sais plus dans quel ordre c'était. J'en oublie. J'ai tellement marché. Je pense à mon collier. Un petit nuage blanc autour de mon cou. Tellement délicat. Tout le monde le remarquait. Même cet homme à qui j'ai demandé mon chemin. Il a souri. Il a dit : il est joli, votre collier, Madame.

Nabil : Où, Madame ?

Hélène : En ville. Tout droit.

Nabil : Est ou Ouest, Madame ?

Hélène : Au Centre. Par là.

Nabil : Yalla !

Hélène : Je regarde la mer. Le bleu de la mer, dont je rêve tant quand je suis chez moi, à des milliers de kilomètres d'ici. Je touche mon cou. J'ai envie de pleurer. Je me secoue. On approche. On s'engage dans un immense échangeur, puis tout s'arrête. J'essaie de voir ce qui se passe. C'est bloqué. Il allume la radio.

(Une musique arabe très rythmée se fait entendre)

Il bouge la tête au rythme de la chanson. Et les épaules et les bras. Il chante. Je ferme les yeux. Je compte les jours depuis que je suis arrivée. Huit ? Neuf ? Je n'arrive pas à savoir. Quel jour on est ? Lundi ou mardi ? Lundi, je pense. Et quand est-ce que j'ai vu mon collier pour la dernière fois ? Quand est-ce que j'ai eu conscience de l'avoir à mon cou ? L'homme à qui j'ai demandé mon chemin. Il a touché les perles avec ses doigts. Où est-ce que c'était ? Dans quel quartier ? Je ne sais pas. Quel jour c'était ? Samedi ? Vendredi ? C'est toujours bloqué. Des voitures à perte de vue. Il fait chaud. Si j'ouvre la fenêtre, c'est l'enfer des klaxons.

(Un temps au cours duquel on n'entend que la musique de la radio)

Combien de chansons depuis qu'on est arrêtés ici ? Quatre, cinq, six, dix ? Une seule, il me semble, répétée à l'infini. *(Un temps)* Un collier évanescent. C'est ce qu'a dit le vendeur dans la boutique. Ça m'a fait rire. Un mot pareil, pour un collier. Évanescent. Ah ! On dirait qu'il y a du mouvement. On bouge !

(La musique est plus forte)

Nabil : Où, Madame ?

Hélène : Au Centre !

Nabil : Centre ici, Madame.

Hélène : Je cherche un chantier. Des poutres et du béton. Comme un squelette de bâtiment. Avec des grues. Des grues, vous voyez. Des machines avec un long cou et...

Nabil : Où, Madame ?

Hélène : Des marteaux-piqueurs et... *(Tout à coup excédée)* S'il vous plaît, arrêtez la musique.

Nabil : S'il vous plaît, Madame ?

Hélène : La musique. Arrêtez-la, je vous en prie ! La musique, la musique !

(Elle fait des gestes. Il comprend. Il arrête la radio)

Bon. Un chantier, vous voyez, où l'on construit quelque chose. Un édifice. Attendez, il me semble que c'est par là. *(Elle fait des gestes)* Par là, par là. À gauche. Aa chmèèl. Attention ! Il faut pas faire ça, changer de voie comme ça, sans signaler, vous allez nous tuer. Vous n'avez pas de clignotants ?

Nabil : S'il vous plaît, Madame ?

Hélène : Des clignotants ! Laissez faire. Par là. La grande rue, à droite. Aal yamine. Doucement. Maintenant tout droit. C'est là ! Je pense que c'est là. Mais ça a changé déjà. Il y a un étage en plus, il me semble. Arrêtez. Arrêtez ! Stop !

Nabil : Stop, Madame ?

Hélène : Oui, ici. Attendez-moi. Compris ? Attendez-moi !

Nabil : Ici, Madame ?

Hélène : Oui, ici.

(Bruit intense de marteau-piqueur. Hélène s'approche d'un homme qui travaille sur le chantier. Un contremaître. Il lui tourne le dos. Elle le frappe sur l'épaule. Elle crie)

Monsieur, Monsieur, s'il vous plaît. Monsieur, vous n'auriez pas vu un petit collier ?

Le contremaître : Pardon ?

Hélène : Vous n'auriez pas vu un petit collier ? Des perles blanches montées sur du fil invisible. Mais c'est pas un collier de perles ordinaires. Je veux dire... les perles sont dispersées sur le fil et...

Le contremaître : Quoi ?

Hélène : Je suis venue ici hier. Je pense que c'était hier. Il n'y avait personne. Pas d'ouvriers. J'ai marché sur les dalles de béton et je me suis assise là, au milieu. Il faisait chaud et je me suis épongée et peut-être que...

Le contremaître : Regardez autour de vous, Madame. Qu'est-ce que vous voyez ?

Hélène : J'étais juste là, au milieu, je suis restée longtemps à essayer d'imaginer...

Le contremaître : Vous voyez des dalles de béton et des poutres d'acier et des ouvriers qui marchent sur les dalles avec leurs bottes de travail et du ciment qui coule dans des énormes tuyaux et des marteaux-piqueurs qui cassent la chaussée. C'est un chantier ici, Madame.

Hélène : Je sais, mais...

Le contremaître : Venez. Venez par là.

(IL L'ENTRAÎNE À L'ÉCART, LOIN DU MARTEAU-PIQUEUR. LE BRUIT DISPARAÎT PRESQUE COMPLÈTEMENT)

Hélène : Je me suis assise au milieu, sur la dalle de béton et je suis restée longtemps. J'ai imaginé ce qu'il y avait avant. La maison de pierres, les arbres tout autour, les fleurs au bord des fenêtres, les gens à l'intérieur.

Le contremaître : Écoutez. Ça fait des années que je démolis et que je reconstruis, ici, dans le Centre, et régulièrement, je vois des gens comme vous qui viennent chercher une chose qu'ils ont perdue. Un coffret plein d'argent, une photo, une petite statue, un livre ancien, un collier. Ils viennent et ils regardent les bulldozers et ils descendent dans le trou, ils fouillent dans la terre, et même après, quand on a coulé le béton, ils viennent encore, ils marchent sur les dalles, ils regardent partout...

Hélène : Non, non vous ne comprenez pas. Moi, je suis venue seulement hier, ou avant-hier, et...

Le contremaître : Ils viennent ici et ils pleurent sur le passé, sur ce qu'ils ont perdu et moi je leur dis : allez-vous-en ! Vos choses ont été broyées, réduites en poudre, et la poudre s'est mêlée à la terre et au béton. Vos vieilles choses sont dans les dalles des nouvelles maisons. Et c'est très bien comme ça.

Hélène : Mais vous vous trompez, je n'ai jamais habité ici...

Le contremaître : Oui je sais, vous n'avez jamais habité ici, vous n'êtes même pas née ici, mais votre tante ou votre grand-mère que vous n'avez jamais vue vivait ici, et elle avait un collier et vous êtes venue en pèlerinage retrouver le bijou perdu. Je connais l'histoire par coeur.

Hélène : Non, ce n'est pas ça.

Le contremaître : Moi aussi, j'ai perdu ma maison. Une bombe tombée pendant la nuit. On était tous dans l'abri. Quand on est remontés, il ne restait plus rien, même pas une moitié de mur. J'ai dit aux enfants : regardez, une maison c'est ça. Un tas de briques, de bois, de béton. Tout ce qu'on possède peut être cassé et réduit en poudre. Ils ont voulu fouiller les décombres pour chercher leurs jouets, j'ai dit : non, on rase tout et on reconstruit.

Hélène : Écoutez, je ne me suis pas bien expliquée, je n'ai jamais habité ici, ni ma tante, ni ma grand-mère. Ma maison n'a jamais explosé. Je suis venue ici seulement hier ou avant-hier. Je me demandais si, en arrivant ce matin, vous n'auriez pas vu, sur les dalles... Je sais que les chances sont minces pour que vous l'ayez remarqué, mais on ne sait jamais.

Le contremaître : C'est un collier que vous voulez ? Allez par là, tournez à droite au carrefour, il y a la boutique de mon cousin Youssef. Il vend des bijoux en or, en argent. Tout ce que vous voudrez. Première qualité.

Hélène : Je ne veux pas un collier de première qualité. Je veux mon collier de perles en plastique dispersées sur du fil invisible.

Le contremaître : En plastique !

Hélène : Un collier évanescent. C'est ce qu'a dit le vendeur. C'est un mot ridicule, je sais, mais...

Le contremaître : Vous cherchez un collier en plastique !

Hélène : Au début j'ai dit : non, non, je ne veux pas l'essayer, c'est un peu cher. Mais il a insisté. Il s'est installé derrière moi, il l'a passé autour de mon cou. Il a dit : regardez, c'est vous. Ce collier-là, c'est vous, Madame.

Le contremaître : Qu'est-ce que vous êtes venue faire ici ?

Hélène : Je vous l'ai dit. Je suis venue chercher mon...

Le contremaître : Je veux dire, ici, dans ce pays.

Hélène : Euh bien... Je...

Le contremaître : Moi je vais vous le dire. Vous êtes venue pleurer sur le passé, sur les maisons démolies et les maisons rebâties.

Hélène : Mais non, pourquoi vous dites ça ?

Le contremaître : C'est inutile, Madame. Rentrez chez vous.

(IL SE DIRIGE VERS LE CHANTIER. RETOUR DU BRUIT DE MARTEAU-PIQUEUR)

Hélène *(CRIANT)* : Ce n'est pas vrai. Je suis pas venue pour ça ! Je suis venue pour...

Le contremaître *(CRIANT)* : Rentrez chez vous, dans votre maison qui est encore debout, dans votre pays qui a tous ses morceaux.

Hélène *(CRIANT)* : Mais moi, je...

Le contremaître *(CRIANT)* : Laissez-moi travailler. Allez-vous-en !

(HÉLÈNE RESTE UN MOMENT DANS LE BRUIT DU MARTEAU-PIQUEUR PUIS ELLE RETOURNE AU TAXI)

Nabil : Où, Madame ?

Hélène *(À NABIL)* : Il a dit : dans votre pays qui a tous ses morceaux. Mais moi, il me manque un morceau, il me manque un collier de perles blanches montées sur du fil invisible ; il me manque un nuage léger autour de mon cou, il me manque... tellement de choses.

Nabil : Où, Madame ?

Hélène : Je ne sais pas.

Nabil : À l'Est, à l'Ouest ? Où ?

Hélène : Il me regarde. Il sourit. Je baisse la tête. Je dis rien. Il finit par se retourner. Il attend. Il n'est pas pressé. On reste là, stationnés dans une petite rue, les autos doivent ralentir, enjamber le trottoir pour nous contourner. Les conducteurs klaxonnent, nous crient des insultes en passant. Il s'en fout. Je m'en fous. Où est-ce qu'on va, Madame ? Je ne sais pas. Vous êtes venue ici pour pleurer, Madame. Sur le trottoir, les gens marchent vite. Ils vont au bureau, à l'épicerie, au magasin. De l'autre côté de la rue, un vieux monsieur me fixe intensément, devant son étal de journaux. Je détourne la tête. Vous êtes venue ici pour pleurer, Madame. Je me vois, souriante, à l'aéroport. Il y a combien de temps ? Douze jours ? Quinze ? Je ne sais plus. René qui déclare en mettant le nez dehors : il fait bien trop beau, ici, pour réfléchir à la misère du monde. Les congrès devraient toujours avoir lieu dans des pays pluvieux. Tout le monde rit. Le vieil homme me fixe encore. Je baisse les yeux. Je rougis. Le vendeur a mis le collier à mon cou, j'ai payé, je suis sortie. Il faisait beau. J'ai marché longtemps. Je me sentais invincible. La beauté comme un bouclier. Il me regarde toujours, au milieu de ses journaux. Je baisse la fenêtre, je crie : quoi ? Qu'est-ce qu'il y a ? Vous attendez que je pleure ? Vous pensez que je suis venue ici pour pleurer ?

Nabil : S'il vous plaît, Madame ?

Hélène : On s'en va. Yalla !

Nabil : Où, Madame ?

Hélène : Euh... par là.

Nabil : Yalla !

Hélène : On roule dans les petites rues. Je lui dis : par là, par là. Aa chmèèl, aal yamine, mais je ne sais pas du tout où on va. De temps en temps je reconnais un édifice, un coin de rue, une terrasse. Je suis passée là, déjà. J'ai pris un café à cette terrasse-là. Quand ? Je ne sais pas exactement. Je dis : aa chmèèl, aal yamine. Il suit mes indications, sans répliquer. On pénètre dans un quartier rempli de maisons trouées. Je suis venue ici, j'en suis sûre. J'essaie de me repérer. On tourne et on tourne au milieu des gens dans la rue, des étalages de fruits, de légumes rutilants, des photos d'hommes enturbannés. Je crie : arrêtez. Stop.

Nabil : Ici, Madame ?

Hélène : Attendez-moi. ... Je sors dans la rue. Deux garçons qui courent sur le trottoir me bousculent en passant. Je crie : attention ! L'un des deux se retourne. Il me sourit, il se sauve, tourne le coin en rigolant. Je marche au milieu des maisons trouées, au milieu des hommes moustachus, des femmes habillées de longs manteaux. Je suis passée ici. Je le sais. J'ai acheté une orange, au coin, dans cette boutique improvisée, au rez-de-chaussée de cette maison à moitié démolie. Je l'ai mangée dans cette rue-là, il me semble. Je me suis arrêtée devant ce bâtiment-là, pour contempler les fleurs qui poussent dans les fissures du béton. Je me suis approchée, j'ai mis mes mains dans les traces laissées par les balles. Pourquoi j'ai fait ça ? Je ne sais pas. C'était plus fort que moi. Puis j'ai pris une petite allée. Où est-ce que c'était ? Ici, peut-être. Je m'enfonce entre deux maisons, il fait plus sombre. L'endroit me rappelle quelque chose. Je baisse les yeux. S'il a glissé ici, mon collier, il a pu être piétiné cent fois, mille fois, des dizaines de personnes ont pu le trouver, le vendre, le donner à quelqu'un, le jeter à la poubelle, le mettre à leur cou. Je le sais. Mais je regarde quand même à terre, le long des murs, dans les petites fentes. Je passe dans une espèce de porte d'arche, je me retrouve dans une longue ruelle étroite, je la reconnais, je suis presque sûre, je me suis arrêtée ici déjà, je me suis appuyée au mur là-bas, près de la fenêtre. J'avance doucement. Une femme apparaît. D'où sort-elle ? Je ne l'ai pas vue arriver.

(UNE FEMME APPARAÎT)

Excusez-moi, vous n'auriez pas vu...

La femme *(EN MÊME TEMPS)* : La twakhizni indak tabé hamra ?

Hélène : Je suis désolée, je ne comprends pas.

La femme : Vous n'auriez pas vu une petite balle rouge ?

Hélène : Euh... non. Je ne pense pas. Mais vous, vous n'auriez pas vu un collier ? Je suis venue ici, je pense, et il a peut-être glissé. C'est un collier de perles blanches...

La femme : C'est la balle de mon fils. Une petite balle rouge, presque neuve. Pas plus grosse que ça. Elle a peut-être roulé jusqu'ici. Vous ne l'auriez pas vue ?

Hélène : Non. Elle n'est pas ici, vous voyez bien. Si elle y était, on la verrait tout de suite. Une balle, ça se remarque, surtout si elle est rouge, tandis que mon collier... Il est tellement délicat. Évanescent. C'est ce que le vendeur a dit.

La femme : Qu'est-ce que c'est, évanescent ?

Hélène : Ça veut dire... je crois que ça veut dire flou, léger, qui disparaît doucement. C'est ridicule, je sais. Ce n'est pas du tout un mot approprié, mais quand il a dit ça, je ne sais pas pourquoi...

La femme : Voulez-vous chercher avec moi ?

Hélène : Chercher la balle de votre fils ?

La femme : Et votre collier, si vous voulez.

Hélène : Mais je ne sais pas si...

La femme : Venez.

Hélène : Elle m'entraîne. On marche dans la ruelle étroite. Elle ouvre une porte qui donne sur une cour. On entre. On fait le tour en fouillant l'herbe folle avec nos pieds. Je ne suis jamais allée dans cette cour. On débouche sur une plus grande rue. Deux hommes assis à la table d'un café fument le narguilé. Elle leur demande quelque chose. Sans doute : vous n'auriez pas vu une petite balle rouge et un collier de perles blanches ? L'un des deux commence à parler. Elle l'interrompt, en faisant un geste de la main. Elle me dit : Yalla ! On s'enfonce dans le quartier. On tourne aa chmèel, aal yamine, aa chmèel, aal yamine. Elle a l'air de savoir où elle va, de suivre un itinéraire bien tracé. De temps en temps on s'arrête pour soulever une pierre, une vieille poubelle, pousser du pied un tas de ferrailles. On marche de plus en plus vite. Une femme nous crie quelque chose de sa fenêtre du troisième étage. Je crois reconnaître le mot Sarah. Est-ce qu'elle s'appelle Sarah ? Elle crie à son tour et fait un geste de la main, comme pour dire : laisse-moi tranquille. On avance encore plus vite. On s'engage dans une impasse, on va jusqu'au bout, devant une maison percée de partout. On pénètre à l'intérieur par une brèche immense dans la façade. Elle me dit : venez. On enjambe une autre brèche, dans un autre mur, on se retrouve dans un escalier. On monte à toute vitesse. Au deuxième étage, on entend des voix derrière des rideaux verts qui servent de cloison. On dirait une mère et son fils qui se disputent. Ils crient. On monte encore, au troisième, au quatrième étage, puis l'escalier rétrécit, aboutit à une petite porte. Elle l'ouvre. Elle me tire par le bras. On est sur le toit. Je suis étourdie tout à coup. Je m'approche du bord.

La femme : Cherchez avec moi.

Hélène : Mais non, c'est inutile, je ne suis jamais venue ici.

La femme : Cherchez en bas. Regardez bien.

Hélène : Voyons, c'est beaucoup trop haut. Je ne pourrai jamais le voir d'ici.

La femme : C'est ce qu'on me dit aussi. Une petite balle, on ne peut pas la voir de si loin. Mais moi je pense : on ne sait jamais. Cherchez avec moi.

(Un temps. Les deux femmes regardent attentivement le quartier qui s'étend à leurs pieds)

Hélène : Il l'a perdue quand, votre fils, sa petite balle ? Je vous demande ça, parce que, moi, je ne sais pas exactement à quel moment il a glissé, mon collier. Alors je ne sais pas exactement où je dois chercher.

La femme : Il a quitté la maison vers dix heures avec son ami Wallid. Il est parti en courant. J'ai crié : tu n'oublies pas quelque chose ? Il est revenu. Il a dit : c'est vrai, ma petite balle. J'ai dit : tu oublies d'embrasser ta mère, mon garçon. Il a rougi. Il m'a donné un baiser sur la joue. Il est parti.

Hélène : Et maintenant il l'a perdue et tout le monde lui dit : c'est rien, une petite balle, on peut la remplacer, mais lui, il veut la retrouver. Peut-être qu'il se sent protégé, invincible avec sa petite balle. Moi, quand j'ai acheté mon collier, je l'ai porté tout de suite et je me suis sentie forte tout à coup.

La femme : Regardez là-bas, vous ne voyez pas un point rouge minuscule ?

Hélène : Où ça ?

La femme : Là, là-bas, dans la rue.

Hélène : Euh non... je ne vois pas. Il n'est pas revenu depuis ce matin, votre fils ?

(Un temps)

La femme : Ils sont arrivés vers onze heures. Je les ai entendus crier dans l'escalier : Sarah ! Sarah ! Je préparais des haricots dans la cuisine. Je fais toujours des haricots le lundi. J'ai eu chaud, tout à coup. J'ai vacillé. J'ai dû m'appuyer au comptoir. Ils criaient Sarah, Sarah, comme des oiseaux. J'ai ouvert la porte. Amir a dit : ton fils, Sarah. Ton fils. On a couru jusqu'ici, en bas. Ils m'ont montré le corps d'un garçon couvert de sang, le visage arraché. Tout est devenu noir. Je suis tombée. Quand je suis revenue à moi, ils versaient de l'eau sur mon front, ils parlaient tous en même temps. Sarah.

Sarah. C'est terrible. Sois courageuse. C'était une embuscade. Ton fils passait par là. On ne sait pas qui a tiré. Le quartier était tranquille depuis longtemps. La guerre est presque finie. C'est écrit dans les journaux. Je les ai repoussés, j'ai dit : ce n'est pas mon fils. Oui, Sarah, c'est ton fils. Non. Ce garçon n'a pas de visage. Mon fils a un visage. Mais ce sont ses vêtements. C'est lui, regarde-le. Non. Ce n'est pas lui. Mon fils a un sourire qui vous fait chavirer et une petite cicatrice sur la joue droite, à cause d'une chute qu'il a faite à trois ans et demi. Mon fils était avec son ami Wallid. Mon fils avait une petite balle rouge dans sa main. Où est-elle, la petite balle rouge ? Où est-elle ?

(Un temps)

Hélène : Je suis désolée. Je ne savais pas. Je n'avais pas compris.

La femme : J'ai enterré le garçon sans visage et j'ai reçu les condoléances, les larmes et les étreintes. Puis, quand tout a été fini, j'ai commencé à chercher.

Hélène : Mais alors ça fait longtemps qu'il est... qu'il a perdu sa balle, votre fils.

La femme : Oui, ça fait longtemps.

Hélène : Et vous cherchez encore.

La femme : Pas tous les jours. Seulement le lundi. Je fais les rues du quartier puis je monte ici pour avoir une vue d'ensemble.

Hélène : Vous pensez vraiment que...

La femme : Je ne pense rien. Je viens ici, je cherche. La plupart du temps je ne vois rien de particulier, mais quelquefois, j'aperçois... tenez, regardez...

Hélène : Où ?

La femme : Là. Très loin. À l'extrémité du quartier, juste avant l'autoroute. Concentrez-vous. Est-ce que vous voyez un point rouge qui saute ? Regardez. Il approche. Il vient par ici. C'est une balle, on la voit bien maintenant, une balle qui monte et retombe dans une main. La voyez-vous, la main ? Et au bout de la main il y a un bras et au bout du bras il y a un corps. Le corps d'un jeune homme de dix-sept ans. Il vient par ici. Il faut lui faire signe.

(ELLE FAIT DES GRANDS SIGNES AVEC SA MAIN)

Allez-y, faites-lui signe vous aussi.

(HÉLÈNE HÉSITE, PUIS FAIT SIGNE TIMIDEMENT)

Et puis, il faut l'appeler. Appelez-le avec moi. Mounir ! Mounir !

(HÉLÈNE HÉSITE, PUIS ELLE APPELLE)

Hélène : Mounir ! Mounir !

La femme : Mounir ! Mounir ! *(À HÉLÈNE, SOUDAINEMENT INQUIÈTE)* Pensez-vous qu'il va me reconnaître ? Avec les plis sur mon visage, et mes yeux qui sont différents ? J'ai tellement changé. Mon regard a changé, et ma peau, et mon coeur... Mounir ! Qu'est-ce qu'il fait ? Il s'éloigne. Mounir ! Où est-il ? Le voyez-vous ?

Hélène : Madame, s'il vous plaît...

La femme : Je ne le vois plus. *(UN TEMPS)* C'est à ce moment-là, toujours, que je me mets à pleurer. Voyez. Ça coule tout seul. Je ne peux pas l'arrêter. Pleurez avec moi, si vous voulez, sur mon fils... évanescent. Ou bien pleurez sur votre petit collier disparu. Regardez le quartier en bas, et puis au loin la ville, et dites-vous que vous ne le retrouverez jamais. Abadan. Abadan.

(ELLES REGARDENT TOUTES LES DEUX LA VILLE. ON ENTEND LA PRIÈRE MUSULMANE QUI EST DIFFUSÉE DEPUIS LA MOSQUÉE DU QUARTIER)

Hélène : Elle répète Abadan, abadan, abadan. Je pense à son fils, à sa petite balle, à son visage effacé, je pense au premier jour où j'ai marché dans la rue avec mon collier, au jeune homme qui m'a souri, au monde qui m'appartenait à nouveau, à mon pays qui a tous ses morceaux, à tous les morceaux qui me manquent, la confiance, la beauté, la ferveur, l'amour, quoi d'autre ? À Sarah qui a peur que son fils ne la reconnaisse pas, aux plis sur son visage, à ses yeux égarés, aux petites perles blanches écrabouillées quelque part dans la ville, j'entends Sarah qui pleure à côté de moi, et la prière dans les haut-parleurs qui dit je ne sais pas quoi, probablement : venez chanter qu'Allah est grand ; mais moi j'imagine : venez pleurer sur le fils de Sarah et sur le collier d'Hélène, sur leur visage qui n'est plus ce qu'il était, sur leur joie qui a disparu.

La femme : Ça suffit maintenant. Il faut rentrer.

Hélène : Elle m'entraîne à nouveau dans l'escalier. Au deuxième étage, la mère et son fils ont arrêté de se disputer. La mère tire les rideaux et s'approche de Sarah. Le fils reste derrière. Un garçon de seize ou dix-sept ans. Elle s'adresse à lui, je crois reconnaître le mot Wallid. Wallid ? Elle caresse la joue de Sarah avec douceur. Elle lui dit quelque chose, peut-être : il est mort, ton fils, Sarah. Il faut l'accepter. Ou peut-être : est-ce que tu l'as vu aujourd'hui ? Est-ce qu'il t'a parlé ? Sarah ne dit rien. On descend jusqu'à la rue.

La femme : Je vais par là. Au revoir.

(LA FEMME S'EN VA)

Hélène : Attendez. Je voudrais vous dire...

La femme : Me dire quoi ? Que vous avez de la peine pour moi ? Ce n'est pas nécessaire. De toute façon, ce n'est pas vrai. Mais ça ne fait rien. Moi non plus je n'ai pas de peine pour votre collier. Au revoir.

Hélène : Elle s'en va. Elle marche vite, elle tourne le coin, elle disparaît. Je m'assois par terre, recroquevillée. Appuyée au mur de la maison trouée. Où est-ce que je suis ? Dans quelle rue, dans quelle ville, dans quel pays ? Je ne sais plus. Qu'est-ce que je fais ici ? Vous êtes venue ici pour pleurer, Madame. Je reste là. Longtemps. Une vieille dame passe à côté de moi, puis une petite fille qui court après son chat. On dirait qu'elles ne me voient pas.

Nabil : Madame ? S'il vous plaît, Madame.

Hélène : Qu'est-ce que...

Nabil : S'il vous plaît, Madame.

Hélène : Qu'est-ce que vous faites ici ? Comment m'avez-vous trouvée ?

Nabil : Taxi, Madame. Taxi.

Hélène : Il me tire. Il prend ma main. C'est chaud, sa main dans la mienne. Réconfortant. Comme s'il me tenait tout entière dans sa paume. Je me laisse guider. Je serre un peu les doigts pour dire merci, merci d'avoir une main aussi douce et merci de connaître le chemin. Il s'arrête, me fait signe d'attendre. Il revient avec deux cafés. Il me demande de goûter. Je choisis le sucré. On boit. C'est bon, le café, dans ma bouche. Une caresse brûlante à l'intérieur. Il sourit. ... Qu'est-ce que c'est, votre nom ?

Nabil : S'il vous plaît, Madame ?

Hélène : Votre nom ? Moi je m'appelle Hélène.

Nabil : Aline, Madame ?

Hélène : Non, Hélène, comme celle qui a provoqué la guerre, vous savez.

Nabil : La guerre ?

Hélène : Il y en a qui disent qu'elle était l'instrument des dieux, que ce n'était pas sa faute et d'autres qu'elle était coupable, qu'on est responsable des choses qui arrivent même quand on ne les a pas voulues. Hélène de Troie, vous savez ?

Nabil : Vous, Hélène de Troie, Madame ?

Hélène : Non. Seulement Hélène. Hélène du Nord. Hélène qui n'a jamais provoqué de guerre. Hélène qui ne connaît pas la guerre. Et vous ? Mounir ? Wallid ? Youssef ?

Nabil : Nabil.

Hélène : Nabil. Bien. Bonjour Nabil.

(ELLE LUI SERRE LA MAIN. IL SOURIT)

Nabil : Bonjour. Marhaba.

Hélène : Est-ce que vous avez déjà perdu quelque chose, Nabil ?

Nabil : Marhaba, tcharaffna.

Hélène : Perdu une bague, ou une montre que vous aimiez beaucoup. Et vous vous sentez amputé. Comme si vous aviez perdu le doigt avec la bague, le poignet avec la montre.

Nabil : Taxi, Madame ?

Hélène : Oui, Nabil, taxi.

Nabil : Yalla !

Hélène : On marche dans les petites rues. On arrive très vite à la Mercedes rouge. C'est là qu'on s'est quittés ? Il me semblait que c'était beaucoup plus loin.

Nabil : Où, Madame Hélène ?

Hélène : À la mer.

Nabil : Où ?

Hélène : À la mer. L'eau à perte de vue. *(ELLE FAIT DES GESTES)* Le bleu infini. Les vagues. La mer, Nabil.

Nabil : Ah, el bahr ! El bahr !

Hélène : Oui, el bahr. Je suppose.

Nabil : El bahr kbiir. Où, Madame Hélène ?

Hélène : Par là. Yalla !

Nabil : Yalla !

Hélène : On repart. Il fait chaud. Le soleil tape sur la Mercedes. Je pense aux autres tout à coup. Rentrés chez eux, dans leurs pays du Nord. Quelle tête ils ont faite quand ils ont trouvé mon mot ? Chers collègues, partez sans moi. J'ai décidé de rester un peu pour... Pourquoi ?

Qu'est-ce que j'ai écrit après ? Je ne sais plus. Ils ont dû être étonnés. Hélène nous abandonne, a dû dire René, je savais qu'elle rencontrerait un prince arabe. Les autres ont ri, sûrement. Hélène est tellement secrète. Elle avait l'air songeuse ces derniers jours. Dans un congrès, tout le monde a l'air songeur, on est payés pour ça, a dû dire René... Le matin du départ, ils ont hésité, ils ont peut-être appelé ma chambre, mais il n'y avait pas de réponse et le temps pressait. Ils sont partis. Où est-ce qu'on est ? Un autre quartier. Est-ce que je suis venue ici ? Je ne sais plus. Regardez en bas, pensez à votre collier. Dites-vous que vous ne le trouverez jamais. Abadan. On longe un mur qui enferme une ville. Une ville dans la ville. Où est la mer ? Sur le trottoir, un homme attend une accalmie pour traverser. On le dépasse. Mon coeur bat vite. Mon Dieu ! On dirait que... Est-ce que c'est lui ? Il me semble que oui. *(À Nabil)* Arrêtez ! Stop !

Nabil : Ici, Madame ? Pas la mer, ici, Madame.

Hélène : Ça ne fait rien. Arrêtez ! Attendez-moi, Nabil. S'il vous plaît.

Nabil : Non ici, Madame.

Hélène : Je sais, vous ne pouvez pas vous stationner. Faites le tour. *(Elle fait des gestes)* Faites le tour et revenez me chercher ici. D'accord ?

Nabil : Ici, Madame ?

Hélène : Oui, c'est ça. Ici. Dans dix minutes. Dix minutes. Il s'en va. Est-ce qu'il a compris ? Je ne sais pas. Je cours, je cherche l'homme dans la foule, où est-il ? Ah, je le vois, il va vite. *(Elle crie)* S'il vous plaît ! Attendez-moi. S'il vous plaît !

(L'homme se retourne)

L'homme : Moi ?

Hélène : Est-ce que vous me reconnaissez ? On s'est vus il n'y a pas longtemps. Ça devait être par ici. Je ne sais pas. Je m'étais égarée. Je vous ai demandé mon chemin.

L'homme : Je pense que vous vous trompez.

Hélène : Non, non. Je vous ai abordé et vous avez été très doux, très gentil. Vous m'avez regardée, vous avez souri. Ça vous a fait sourire, une femme comme moi perdue dans une ville comme ici. On a discuté un peu. Vous m'avez demandé d'où je venais, je vous ai parlé de mon pays froid, de la neige qui tombe à gros flocons. Puis vous avez remarqué mon collier. Rappelez-vous. J'avais un petit collier de perles blanches. Vous avez dit : c'est joli, votre collier. Puis vous l'avez touché du bout des doigts. Moi, ça... ça m'a fait tout drôle, vos doigts sur mon cou, on s'est regardés dans les yeux et...

L'homme : Et quoi ?

Hélène : Eh bien je l'ai perdu, mon collier, et je me demandais si... s'il n'aurait pas glissé à vos pieds quand...

L'homme : Vous avez perdu votre collier ?

Hélène : Oui, c'est ça, mais ce n'est pas...

L'homme : Moi, j'ai perdu ma place sur la terre. J'ai perdu le carré où je peux poser mes pieds et dire ceci est à moi. Vous ne l'auriez pas trouvé, le carré qui était sous mes pieds ? Et j'ai perdu "plus tard, j'aurai une maison avec un jardin", "plus tard, j'irai voir les pays froids et la neige qui tombe à gros flocons" et "plus tard, mes enfants auront un métier, ils seront médecin, professeur ou camionneur, ils auront une maison et un jardin et une place sur la terre". Il n'aurait pas glissé à vos pieds, le futur de mes enfants ? Et j'ai perdu ma capacité de crier, vous ne l'auriez pas trouvée, à vos pieds, ma capacité de crier, de frapper le mur avec mon poing. Vous ne l'auriez pas trouvé, mon cri, dans votre sac, dans votre blouse, dans votre gosier. Ouvrez votre bouche.

Hélène : Mais je...

L'homme : Ouvrez la bouche.

(HÉLÈNE OUVRE LA BOUCHE)

Allez-y. Criez un peu, juste pour voir. Criez : on ne peut plus vivre comme ça. On ne peut plus. Criez-le.

Hélène : Excusez-moi, je pense que je me suis trompée.

(IL LA PREND PAR LES ÉPAULES)

L'homme : Criez-le ! Criez-le !

Hélène *(TIMIDEMENT)* : On ne peut plus vivre comme ça.

L'homme : Plus fort, beaucoup plus fort.

Hélène *(CRIANT PLUS FORT)* : On ne peut plus vivre comme ça. On ne peut plus vivre comme ça.

L'homme : Plus fort !

(IL LA SECOUE. ELLE CRIE DE TOUTES SES FORCES)

Hélène : On ne peut plus vivre comme ça ! On ne peut plus vivre comme ça ! Arrêtez ! Arrêtez !

(IL LA LAISSE. ELLE S'ARRÊTE DE CRIER. ELLE TREMBLE. ILS RESTENT L'UN FACE À L'AUTRE)

L'homme : Pardonnez-moi. Je ne voulais pas. Je ne sais pas ce qui m'a pris. C'est parce que c'est un jour noir aujourd'hui. Il y a des jours blancs où j'arrive à oublier que je vis emmuré dans un camp depuis que je suis né. Je regarde mes enfants, je les trouve beaux, je m'active, je mange, je bois, je profite du soleil, je vis comme vous, comme n'importe qui. Et puis il y a des jours noirs, où je ne vois que le mur qui nous enferme, nos maisons entassées les unes sur les autres, le manque d'espace, d'intimité, la saleté, la laideur et je me répète pendant des heures : c'est ma seule vie, je n'en aurai pas d'autre, c'est ma seule vie, et je la passe ici, et quand je vois les gens comme vous qui marchent dans la rue, à l'extérieur, qui se foutent complètement de mon désespoir...

Hélène : On s'en fout pas. Mais on se rend pas compte et on se dit qu'on ne peut rien faire de toute façon. Qu'est-ce qu'on peut faire ?

L'homme : Je ne sais pas. Peut-être, quand vous retournez dans votre pays, sur le petit carré qui vous appartient, dites-le de temps en temps : on ne peut plus vivre comme ça. Dans les soirées, avec vos amis, quand vous buvez du vin, quand vous regardez par la fenêtre la ville toute blanche, si paisible et si bien ordonnée, dites-le, même si personne ne comprend, même si vous n'êtes plus certaine de savoir d'où vous vient cette phrase parce que ça fait longtemps, et c'est si loin, à l'autre bout de la terre. Dites-le.

Hélène : On ne peut plus vivre comme ça.

L'homme : Promettez-moi.

(Un temps)

Hélène : D'accord. Je vous le promets.

(Elle s'éloigne)

L'homme : Attendez. Qu'est-ce que vous avez perdu déjà ?

Hélène : Ce n'est rien. Ce n'est pas important.

L'homme : Un collier, c'est ça ?

Hélène : Oui, un collier. Mais je me suis trompée. Ce n'était pas vous à qui j'ai demandé mon chemin.

L'homme : Non, ce n'était pas moi. Mais si vous voulez, vous pouvez me le demander maintenant.

Hélène : Ce n'est pas nécessaire. Il y a mon taxi qui arrive.

L'homme : Et pourquoi vous tenez tant à votre collier ? *(Souriant)* C'est un souvenir d'amour ?

Hélène : Oui, c'est ça. Un homme que j'aimais beaucoup me l'a offert en cadeau, puis il est mort tragiquement dans mes bras. C'est tout ce qui me reste de lui.

L'homme : Je suis désolé.

Hélène : Je monte dans la Mercedes rouge. Nabil me dit : où Madame ? El bahr ? Des autos klaxonnent derrière nous. Je dis : oui, el bahr. On démarre. Je regarde l'homme sur le trottoir. Il agite sa main. J'essaie d'imprimer ses traits dans ma mémoire. Un autobus s'arrête devant lui. Je le perds. On ne peut plus vivre comme ça. Je vois Robert, tout à coup, dans le salon, assis devant moi, il y a douze ans, la tête penchée vers l'avant, les mains sur le visage, j'entends ma voix tremblante qui brise le silence : il n'y a plus d'amour entre nous, Robert, on ne peut plus vivre comme ça. Les crampes, la douleur contenue dans ces mots-là. Est-ce que c'est la même ? Non, sûrement pas. Je reviens à lui. À ses bras qui me secouent. À la colère dans ses yeux. À moi qui crie comme une enfant que l'on dispute. *(À NABIL)* Est-ce que vous avez déjà menti pour vous rendre intéressant, Nabil ?

Nabil : S'il vous plaît, Madame ?

Hélène : Est-ce que vous vous êtes déjà inventé une histoire tragique parce que votre petit malheur vous semblait indécent ?

Nabil : El bahr, Madame ?

Hélène : Oui, à la mer, Nabil. On arrive à la côte. Il veut s'arrêter. Je dis non, plus loin, il y a trop de béton ici, trop de voitures et de fils électriques. On roule sous le ciel parfaitement bleu. Je me vois glisser l'enveloppe sous la porte de René, à quatre heures du matin. Chers collègues, j'ai décidé de rester un peu pour... Je me vois quitter l'hôtel à toute vitesse, courir dans les rues désertes sans prendre de repère, regarder le soleil se lever, boire un café sucré. Je sais pas du tout où je suis, mon coeur bat vite, j'imagine les autres filant vers l'aéroport dans un taxi tout neuf, un peu inquiets peut-être à mon sujet. Vous êtes sûrs qu'on la laisse là, Hélène ? Écoutez, elle fait ce qu'elle veut. Mais personne ne l'attend, chez elle ? Moi je dis qu'elle a rencontré quelqu'un. Je l'ai vue en grande conversation avec un Suédois ténébreux. C'est sûrement une histoire d'amour. Sinon, quoi d'autre ? Petit silence dans le taxi. C'est vrai, sinon, quoi d'autre ? On roule toujours. Qu'est-ce que c'est, au loin ? À travers les arbres, on dirait des colonnes. On ne les voit plus. Je crie : aal yamine, aal yamine, Nabil. Il tourne. Les revoilà. Des colonnes blanches, j'en vois quatre, cinq, six. Mon coeur se serre. On y va, Nabil. Là-bas. Plus vite ! Il stationne sur la petite route. Je dis non, plus loin, plus loin, je veux aller jusqu'aux colonnes. Il ne dit rien. Il prend ma main, il me tire, m'entraîne jusqu'à un bosquet, il écarte les branches, on s'engage dans un sentier, on marche, on marche et on grimpe sur une petite butte et en haut, tout à coup, une vision incroyable. Des dizaines de colonnes alignées, certaines presque intactes, d'autres brisées, formant une espèce d'allée jusqu'à la mer. Et aussi des murs affaissés, des centaines de pierres blanches, posées là, dans un agencement parfait. Juste assez de symétrie et juste assez de désordre. Juste assez de grandeur et juste assez de décrépitude.

Nabil : Hélou ! Beau !

Hélène : Oui, c'est beau, Nabil. On descend doucement parmi les pierres. On progresse dans l'allée royale. Il tient toujours ma main. On avance, comme des époux ou des victimes qui vont à l'autel du sacrifice. On ne dit rien. Il m'aide à monter sur un socle à moitié brisé. Je m'assois. Il me fait signe de l'attendre. Il s'en va. Je reste là. Je regarde. Je pense à l'homme qui m'a secouée. J'essaie de dessiner son visage avec précision. Mais je n'arrive plus à voir exactement la forme de ses yeux, la ligne de son nez. On ne peut plus vivre comme ça. *(ELLE MONTE LE TON)* On ne peut plus vivre comme ça.

Le rôdeur : Madame ?

Hélène *(SURSAUTANT)* : Ah ! Vous m'avez fait peur.

Le rôdeur : Toi fâchée, Madame ?

Hélène : Non. Je ne suis pas fâchée.

Le rôdeur : Première fois, ici ?

Hélène : Oui, je ne suis jamais venue ici.

Le rôdeur : Civilisation millénaire. Trésors fabuleux. Si tu veux, je montre quelque chose.

(IL TIRE UN OBJET DE SA POCHE)

Regarde, IVe siècle avant Jésus-Christ. Trouvé dans la mer. Reconstruit, pierre par pierre. Collier de princesse. Pour toi, seulement cent dollars. Pas cher, Madame.

Hélène : Un collier ?

Le rôdeur : Oui, Madame. Collier magnifique. Je pêché lui dans la mer. Très vieux. Vingt-quatre siècles. Pour toi. Essaie, Madame.

(IL VEUT LUI PASSER LE COLLIER AUTOUR DU COU)

Hélène : Non, ce n'est pas la peine.

Le rôdeur : Oui, essaie, Madame.

(IL LUI MET LE COLLIER)

Toi princesse. Regarde. Magnifique. Tous les hommes vont vouloir toi.

Hélène : Écoutez, je ne veux pas...

Le rôdeur : Quatre-vingts dollars. Pas cher. Imagine, Madame. Ici, vingt-quatre siècles avant, princesse marche et collier glisse dans le sable ou princesse monte en bateau et se penche pour regarder et collier tombe dans la mer.

Hélène : Oui, je sais. Le collier tombe mais elle ne s'en aperçoit pas. Et tout le monde lui dit : ce n'est pas grave, un collier, il n'y a pas de quoi faire un drame. Mais elle fouille quand même dans le sable pendant des heures. Et elle avance dans la mer et elle regarde au loin, espérant le voir surgir d'une vague, mais c'est absurde évidemment. Et au bout d'un moment elle se dit : je l'ai perdu. C'est fini. J'y tenais tellement, pourtant. Un petit collier de perles blanches, en plastique. Le vendeur m'avait dit...

Le rôdeur : Plastique, non, Madame. Pierres précieuses. Authentiques.

Hélène : Ce collier-là, c'est vous, Madame. Tout à fait vous. Je suis sortie dans la rue. Il faisait beau. Un jeune homme m'a souri. Je me sentais légère et fervente, un nuage de beauté autour de mon cou. Maintenant je l'ai perdu. Il a coulé le long de ma poitrine, sur mon ventre et mes jambes et je ne m'en suis même pas aperçue. Et je pourrais pleurer pendant des heures, des jours, des années. Comme si j'avais perdu tous les hommes qui m'ont souri, et tous les après-midi joyeux où je me sentais à ma place sur la terre, et toutes les certitudes, une pour chaque perle, que le monde ira mieux et qu'on a mille ans devant soi pour aimer, pour changer, pour accomplir quelque chose, qu'on n'est pas totalement seuls, qu'on peut traverser la frontière qui nous sépare les uns des autres, la fine pellicule qui nous enveloppe, à l'intérieur de laquelle on rêve, on souffre et on étouffe, on peut la percer délicatement sans la déchirer, et prendre la main de quelqu'un pour vrai et pleurer avec lui pour vrai ou crier avec lui et que le cri sonne juste.

Le rôdeur : Qu'est-ce que tu dis, Madame ? Je pas comprendre. Collier retrouvé. Je repêché lui dans la mer. Tu veux l'acheter ?

Hélène : Non, je ne veux pas l'acheter.

Le rôdeur : Pourquoi ? Tu ne le trouves pas beau ?

Hélène : Oui, oui. Il est beau. Mais il est faux et il est lourd.

Le rôdeur : Pas faux, Madame. Authentique. IVe siècle...

Hélène : Il est lourd et il me fait mal et je ne me sens pas légère et fervente quand je le porte, mais ce n'est pas votre faute.

(ELLE ENLÈVE LE COLLIER ET LE REND AU RÔDEUR)

Le rôdeur : Cinquante dollars, Madame.

Hélène : Non, je vous dis. Allez-vous-en. Je ne veux pas de collier. Pas maintenant.

Le rôdeur : Voulez-vous voir autre chose ? Venez avec moi. Là-bas. Autres trésors. Bagues. Bracelets. V^e, VIe siècles. Venez.

Hélène : Non. Allez-vous-en ! Allez-vous-en ! *(IL PART)* Il s'en va en faisant des signes. Il est loin maintenant et il continue de m'appeler. Venez, Madame. Trésors fabuleux. Il descend une petite butte. Je ne le vois plus. Je reste assise sur le socle. Une statue de marbre qui contemple la mer. "Chers collègues, j'ai décidé de rester un peu pour... perdre quelque chose. Il me semble que c'est un bon endroit pour ça. Ne vous inquiétez pas." Je m'approche de l'eau. Je plante mes pieds dans le sable mouillé. Au milieu de l'écume, je le vois tout à coup, mon collier, porté par une vague, un objet minuscule et dérisoire qui tourbillonne et disparaît aussitôt. Je fais un geste pour l'attraper. C'est ridicule. Mon bras est beaucoup trop court. Je ferme ma main dans le vide, comme ça. J'ouvre les doigts. Il n'y a rien.

(NABIL APPARAÎT DERRIÈRE ELLE)

Nabil : S'il vous plaît, Madame.

(IL LUI TEND QUELQUE CHOSE)

Hélène : Nabil !

Nabil : Pour vous.

Hélène : Qu'est-ce que c'est ? Une pierre ?

Nabil : De mon pays, Madame.

Hélène : Merci Nabil. Je vais tâcher de ne pas la perdre. Je vous le promets. Je vais la tenir très fort dans ma main. Merci.

(ELLE L'EMBRASSE SUR LA JOUE)

Est-ce que je peux vous demander... ? Voulez-vous mettre votre bras autour de mon cou ? Juste un peu. Vous savez, comme un bouclier.

(ELLE SE PLACE DEVANT LUI, LUI FAISANT DOS. ELLE PREND SON BRAS ET L'ENROULE AUTOUR DE SON COU)

Nabil : Les choses nous quittent, Hélène. Il faut l'accepter. Mais il vous reste votre cou et vos mains, une pour tenir ma petite pierre, l'autre pour... je ne sais pas...

Hélène : Mais, Nabil, vous...

Nabil : Il vous reste vos yeux, vos bras, votre bouche pour manger, parler, crier, embrasser un homme comme moi sur la joue...

Hélène : Nabil, vous...

Nabil : Il vous reste beaucoup de choses.

Hélène : Vous parlez...

(IL PREND DU RECUL)

Nabil : S'il vous plaît, Madame.

Hélène : Est-ce que c'est vous qui... ou bien est-ce que c'est moi qui comprends l'arabe, tout à coup ?

(UN TEMPS)

Nabil : Taxi, Madame ?

(UN TEMPS)

Hélène : Oui, taxi, Nabil. *(IL L'ENTRAÎNE)* Attendez-moi. Dix secondes. Juste dix secondes.

(ELLE LAISSE LA MAIN DE NABIL ET S'AVANCE VERS LE PUBLIC)

Hélène : On ne peut plus vivre comme ça. On ne peut plus vivre comme ça.

Nabil : Madame, venez !

Hélène : J'arrive, Nabil. Yalla !

*

Liban, écrits nomades

En mai 2000, Carole Fréchette a fait partie du projet "Écrits Nomades", qui réunissait neuf auteurs de la Francophonie au Liban pendant près d'un mois. À l'issue de ce séjour, chacun devait écrire un texte sur le thème des frontières. C'est dans ce contexte qu'a été écrit *Le collier d'Hélène.*

La résidence au Liban, coordonnée par Monique Blin, a été rendue possible par le soutien de :

- la Commission Internationale du Théâtre Francophone (Canada, Communauté Wallonie-Bruxelles, France, Québec)
- l'Agence Internationale de la Francophonie
- Pro-Helvétia (Suisse)
- la Ville de Byblos au Liban
- le Festival International des Francophonies en Limousin
- le Centre Wallonie-Bruxelles à Paris
- le Centre des Écritures Dramatiques Wallonie-Bruxelles
- le Centre Culturel Français de Beyrouth.

En septembre 2000, les neuf auteurs ont créé une association, **Écritures vagabondes**, présidée par Monique Blin, pour initier d'autres projets, d'autres périples à travers le monde et réunir d'autres artistes et d'autres écrivains des quatre continents.

Sont repris dans *Liban, écrits nomades* :

Volume 1
Kennel Club (Yves Laplace)
Je me souviens (Robert Marinier)
Théâtre B. (Jean-Yves Picq)
El Mona (Koffi Kwahulé)

Volume 2
Le collier d'Hélène (Carole Fréchette)
A fragmentation (Eric Durnez)
Son prénom malgré lui (Joseph Kodeih)
Beyrouth-Illuminations (Mohamed Kacimi)
Instincts primaires... (Florent Couao-Zotti)

Les deux volumes sont publiés chez Lansman.

LANSMAN EDITEUR

EMILE&CIE asbl

63-65, rue Royale B-7141 Carnières-Morlanwelz (Belgique)
Téléphone (32-64) 23 78 40 - Fax/Télécopie (32-64) 23 78 49
info.lansman@gmail.com - www.lansman.org

LANSMAN EDITEUR / EMILE&CIE asbl
bénéficie du soutien
de la Communauté Française de Belgique
(Direction du Livre et des Lettres)

Le collier d'Hélène
est le 1144e ouvrage
publié chez Lansman Editeur
et le 357e
de la collection "THÉÂTRE À VIF"

Composé par EMILE&CIE
Imprimé en Belgique par PR-Print s.a.
http://www.prprint.com/
Dépôt légal initial : juillet 2002
Dépôt légal de la réédition : mai 2017